Dinosaurios

Kathleen Weidner Zoehfeld

RBA

Para Whitley.

Título original: *Dinosaurs*.
Autora: Kathleen Weidner Zoehfeld.
Copyright © 2011 National Geographic Society.
Publicado por primera vez por National Geographic Society, Washington, D.C. 20036. Todos los derechos reservados.
La reproducción total o parcial de esta obra sin el permiso escrito del editor está estrictamente prohibida.
© de la traducción: Nuria Barroso, 2013.
© de esta edición: RBA Libros, S.A., 2013.
Avda. Diagonal, 189 - 08018 Barcelona.
rbalibros.com
Revisión científica: Carlos Cistué.
Primera edición: septiembre de 2013.
REF.: NGLI674
ISBN: 978-84-8298-562-6
DEPÓSITO LEGAL: B. 17.480-2013

Créditos de las imágenes. Todas las ilustraciones son de Franco Tempesta excepto las siguientes:
5, 32 (abajo, izquierda): © Will Can Overbeek/NationalGeographicStock.com; 6-9, 23, 32 (abajo, derecha):
© Louie Psihoyos/Corbis; 11 (arriba, izquierda): © Brooks Walker/NationalGeographicStock.com;
11 (arriba, derecha): © Xu Xing; 18: ©James Líense/Corbis; 20: © Francois Cohier/Photo Researcgers, Inc.;
26-27: © Karel Havlicek/NationalGeographicStock.com; 28: © Joel Sartore/NationalGeographicStock.com;
29: © National Geographic/NationalGeographicStock.com; 31: © Paul Bricknell/Dorling Kindersley/Getty Images;
32 (arriba, derecha): © Lynn Jonson/NationalGeographicStock.com

Sumario

¡Huesos terroríficos!

¿Has visto alguna vez huesos
de dinosaurio en un museo?
¡Algunos de ellos son enormes!
Si estuvieran vivos, darían mucho miedo.

Pero no temas. Todos esos dinosaurios
terroríficos murieron hace
millones de años.

¿De dónde han
salido estos huesos
tan inmensos
y extraños?

¡Híncale el diente!

MUSEO PALEONTOLÓGICO: lugar donde puedes ver huesos de dinosaurio, entre otras cosas extrañas e interesantes.

Desenterrando dinosaurios

Los huesos de los dinosaurios permanecieron enterrados entre las rocas durante mucho tiempo. Se convirtieron en fósiles, y ahora los paleontólogos los desentierran con mucho cuidado.

¡Híncale el diente!

FÓSIL: parte de un ser vivo que se ha conservado en piedras o rocas.

PALEONTÓLOGO: científico que busca y estudia los fósiles.

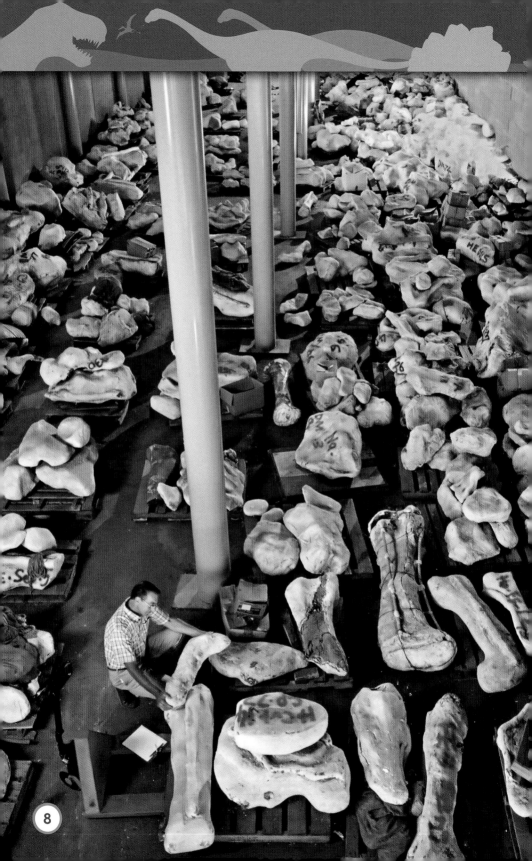

Los paleontólogos llevan los fósiles
al museo, donde los limpian y,
después, los unen unos con otros.

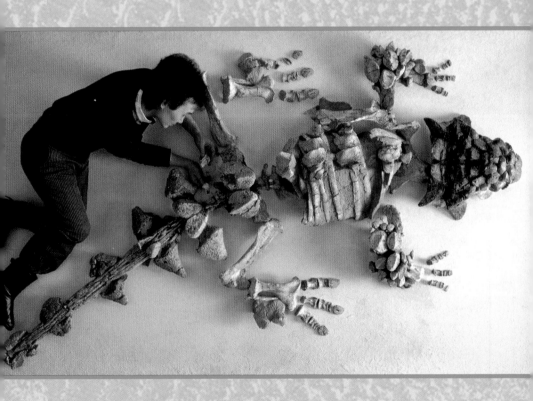

Esos huesos formaban el esqueleto
del dinosaurio. Pero ¿cómo eran
los dinosaurios por fuera?

Piel de dinosaurio

A menudo los dinosaurios dejaban huellas de su piel en el barro. Al endurecerse, el barro las ha conservado hasta hoy.

Estas huellas nos indican que algunos dinosaurios tenían escamas, como los lagartos.

Triceratops

fósil de piel

fósil de plumas

Otros dinosaurios tenían plumas
y alas, como los pájaros.

Buitreraptor

Dinosaurios superestrellas

Tiranosaurio rex
Ha sido uno de los carnívoros más grandes de la Tierra.

Diplodocus
Es uno de los dinosaurios más grandes que se han encontrado.

Paquicefalosaurio
Caminaba sobre las patas traseras y tenía la cabeza gruesa, con forma de huevo.

Triceratops

Tenía una cabeza enorme con tres cuernos muy largos y con un collarín alrededor de su ancho cuello.

Anquilosaurio

Estaba recubierto de piel dura como una armadura y sus huesos formaban una maza al final de la cola.

Estegosaurio

Tenía una hilera de láminas alargadas en el dorso y cuatro pinchos mortales en la cola.

Los dinosaurios más pequeños

Cuando vayas al museo,
no te olvides de observar
los dinosaurios más pequeños.

Algunos son tan pequeños
que te cabrían en las manos.
Muchos de ellos tenían plumas.

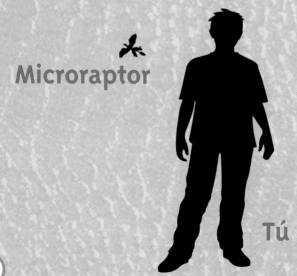

Microraptor

Tú

Microraptor

Los dinosaurios más grandes

Los dinosaurios más grandes eran los saurópodos, que tenían el cuello muy largo. ¡Imposible pasarlos por alto!

Los saurópodos como el argentinosaurio son los animales terrestres más grandes que han vivido jamás en la Tierra.

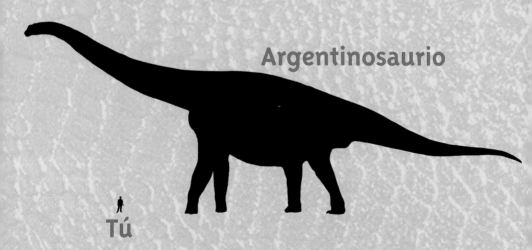

Argentinosaurio

Tú

Argentinosaurio

Caminando
de puntillas

rodilla

Grandes o pequeños,
con escamas o con
plumas, todos
los dinosaurios
caminaban
de puntillas.

tobillo

dedos

Todos los dinosaurios tenían el cuello curvado y con forma de S.

cuello

Edmontosaurio

¿Qué comían los dinosaurios?

Los dientes de los dinosaurios nos revelan lo que comían. Los braquiosaurios y los diplodocus eran herbívoros (comían plantas). Tenían dientes especiales para cortar y triturar ramas muy gruesas.

fósil de diplodocus

Braquiosaurio

Deinonico

Otros dinosaurios eran carnívoros, es decir, comían otros animales.

El deinonico tenía unos dientes afilados como cuchillos. Eran perfectos para desgarrar la carne.

diente del carnívoro tiranosaurio rex

Madres y crías de dinosaurio

Todos los dinosaurios ponían huevos, y hasta los carnívoros más terroríficos cuidaban de sus crías.

Algunos, como el oviraptor, incubaban los huevos y protegían sus nidos con mucho celo. Cuando las crías rompían el cascarón, sus padres se ocupaban de ellas hasta que eran capaces de vivir por su cuenta.

Oviraptor

¿Esto es un dinosaurio?

Mucha gente cree que cualquier animal grande que ya no existe es un dinosaurio, pero eso no es cierto.

¿Esto es un dinosaurio?

Mamut lanudo

¡No! El mamut lanudo también era enorme, pero no ponía huevos como los dinosaurios y, además, era peludo. Los dinosaurios, en cambio, no tenían pelo.

En la época en que vivía el mamut, los dinosaurios ya se habían extinguido.

¡Híncale el diente!

ANIMAL EXTINGUIDO: ser vivo que ya no existe. Cuando todos los individuos de una especie de animales han muerto, se dice que la especie está extinguida.

¿Esto es un dinosaurio?

Gallina
dinosaurio vivo

Una gallina camina de puntillas, tiene el cuello arqueado, está cubierta de plumas y pone huevos. Igual que el anchiornis.

¡Sí! Las aves son los parientes vivos más próximos de los dinosaurios.

Anchiornis
dinosaurio extinguido

29

Un dinosaurio como mascota

A muchas personas les encantaría tener un dinosaurio como mascota.

Tal vez sería divertido jugar con
un tiranosaurio rex a lanzar y traer
la pelota, pero no lo sería tanto estar
junto a él a la hora de comer.
De todas formas, ¡está extinguido!

Si quieres un dinosaurio,
busca uno que sea
pequeño. ¡Será
la mascota
ideal!

ANIMAL EXTINGUIDO:
ser vivo que ya no existe.
Cuando todos los individuos
de una especie de animales
han muerto, se dice que la
especie está extinguida.

FÓSIL: parte de un ser vivo
que se ha conservado en
piedras o rocas.

MUSEO PALEONTOLÓGICO:
lugar donde puedes ver huesos
de dinosaurio, entre otras cosas
extrañas e interesantes.

PALEONTÓLOGO:
científico que busca
y estudia los fósiles.